Large Print Easy To Read Dot-to-Dot Book For Adults

This Dot to Dot Book belongs to:

.89
.88
.90
.91
.87
.114 .92
.86 .113
.116 .115
.118 .93
.117 .112
.85
.120 .119 .111 .94
.122 .121 .110
.84 .123 .95
.83
.124 .97
.82 .109 .98
.125 .96
.81 .127 .126 .108 .99
.27 .26
.80 .128 .107 .100 .28 .25
.106 .29 .30 .24
.79 .129 .101 .31 .23
.78 .130 .105 .32
.102 .22
.104 .131 .132 .66 .103 .34 .33
.77 .64 .44 .42 .36 .35 .21
.76 .133 .67 .65 .40 .38
.74 .73 .63 .46 .39 .37 .20
.75 .134 .43
.72 .68 .62 .41
.70 .51 .45 .19
.69
.71 .61 .52 .49 .18
.60 .53 .50 .47 .13 .14 .15 .16 .17
.59 .48
.58 .57 .54 .11 .12
.56 .8 .9
.5 .6 .10
.55 .7
.4
.3
.1 .2

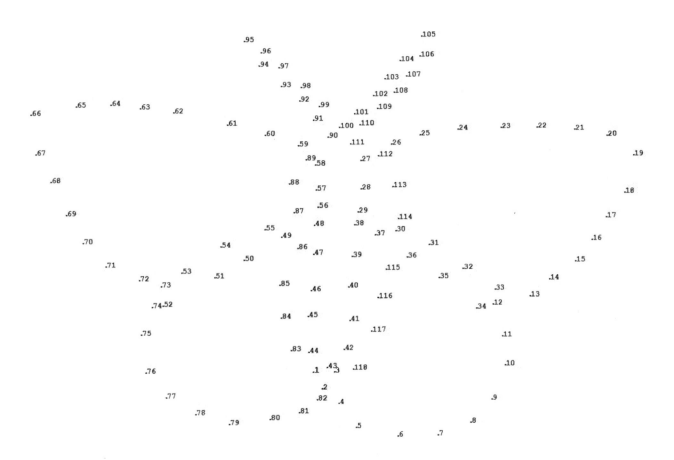

.30
.29
.31
.55
.32
.54
.56
.28
.33
.53
.57
.34
.52
.58
.27
.35 .43 .47 .51
.59
.26
.36 .46
.50
.42
.60
.25
.37 .45
.41
.38 .44 .49
.61
.40 .48
.24
.39
.62
.23
.63
.22
.100 .99
.65 .64
.21 .20
.101 .98 .97
.96
.116
.7 .1 .95
.102 .94 .93 .66
.78
.19
.103 .115 .6 .79 .92 .67
.8 .2
.104
.18
.5 .80 .91 .68
.114 .88
.105 .107 .3 .89
.17 .106 .4 .77 .87 .90
.113 .81 .86 .69
.108
.10 .76 .70
.112 .82 .85
.16
.109 .75 .83 .84 .71
.111 .11
.110 .74
.15 .72
.12 .73
.14 .13

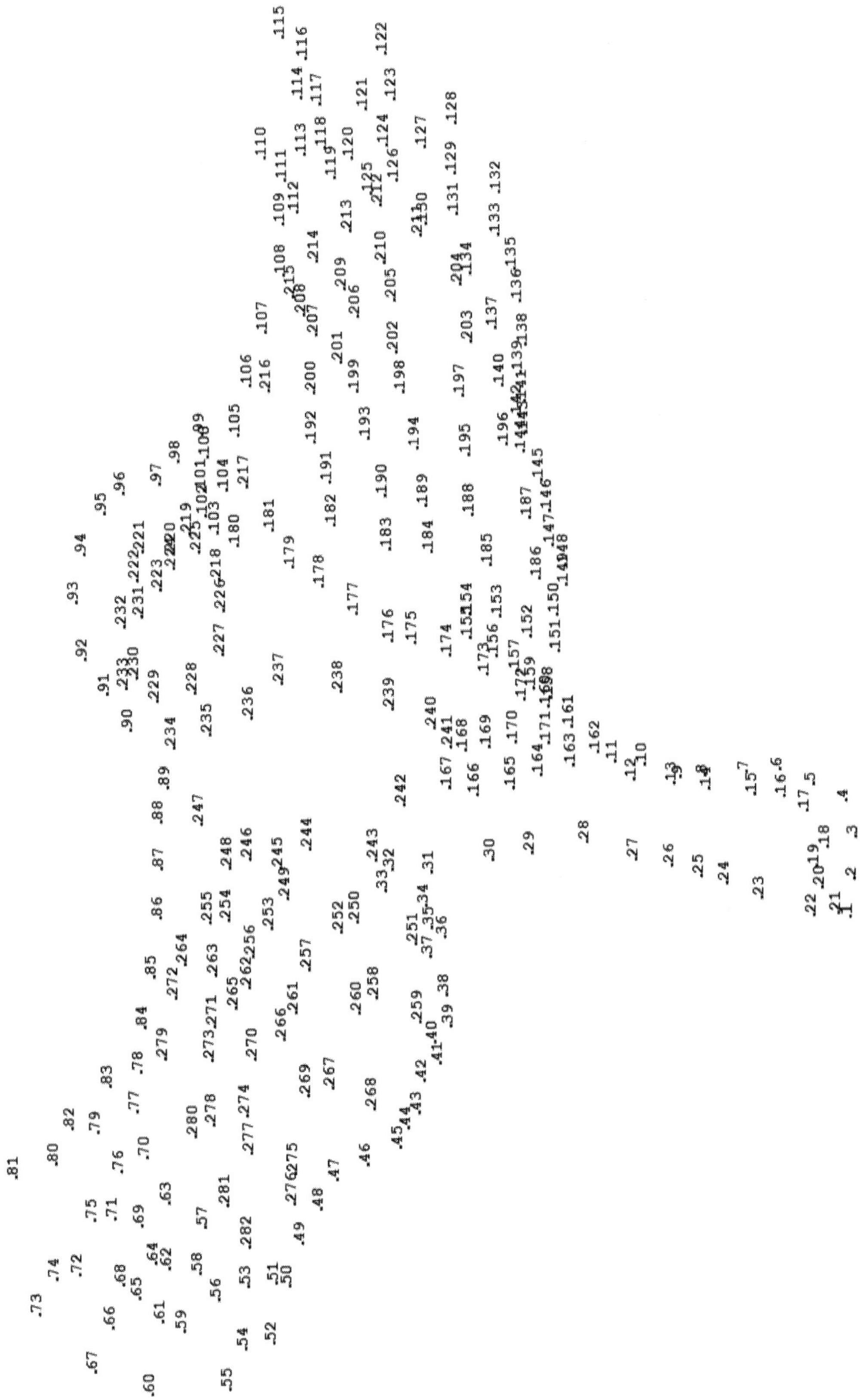

.106 .105104
.120 .107
.121 .103
.108 .102
.122 .119
.100 .101
.123 .109 .74
.110 .116 .115
.124 .118 .99 .75 .73
.112 .117 .114
.111 .113
.53 .98
.125 .85 .76
.52
.54 .72
.126 .51 .95 .96 .97 .77
.55 .71
.127 .50 .86 .84 .78
.94 .79
.128 .49 .70
.56 .87 .83 .80
.93 .82 .81
.48 .88 .65 .69
.129 .92 .66
.57 .89 .64
.91 .68
.47 .90 .63
.130 .58 .67
.46 .21
.131 .62 .20
.134 .133 .22
.132 .45 .59 .61
.135 .60 .23 .19

.136

.44 .24 .18

.137

.43 .25 .17

.138

.42 .26 .16

.139

.41 .15

.140 .40 .27

.141 .14

.39 .28

.142 .13

.29

.143 .38 .12

.30

.36 .35 .34 .33 .32 .31
.144 .37 .11
.1 .2 .3 .4 .5 .6 .7 .8 .9 .10

.107

.95

.108   .106   .96   .94

.105   .98   .97
.109   .93
.104

.103   .99
.110   .102 .100   .92

.111   .101

.91

.112   .90

.113   .89

.114
.33   .88
.34   .54   .71   .72
.35

.55   .73   .87
.32   .36
.53   .70
.31 .37   .86
.56   .69
.30 .38   .52   .74
.85

.57   .68
.29   .51   .75
.39   .84

.28

.40   .50   .58   .67   .83
.27   .76
.41
.59
.26   .49   .66   .77   .82
.42
.60   .81
.25   .78
.43
.48   .65   .80
.24   .61   .13
.44
.23 .22   .45   .79 .14   .12
.1   .46   .47   .62
.21   .64   .15
.2   .20   .63   .16   .11
.19   .18   .17   .10
.3
.4
.5   .6   .7   .8   .9

.64 .63 .62 .60 .58 .59 .57 .56 .55
.61 .54
.65 .113 .53
.112 .114
.66 .111 .115 .52
.67 .110 .116 .51
.68 .50
.69 .109 .117 .49
.70 .48
.108 .118 .47
.71 .124
.72 .107 .119 .123 .46
.73 .106 .122 .121 .45
.74 .105 .120 .44
.87 .30
.10 .43
.88 .29 .31
.75 .104 .11
.9 .42
.76 .86 .89 .28 .32
.8 .12 .27
.103 .13 .33
.77 .85 .90 .7 .26 .41
.102 .34
.78 .84 .91 .14 .40
.79 .6 .25
.92 .15 .35
.83 .101 .5 .39
.80 .24 .36
.93 .16 .38
.100 .4 .22
.82 .94 .37
.81 .23
.17
.95 .3 .21
.99 .97 .18 .19 .20
.98 .96
.1 .2

.120
.119
.131
.121
.118
.132
.122
.130
.117
.123
.129
.133
.125
.116
.124
.128
.134
.126
.127
.135
.65
.64
.115
.136
.62
.63
.61
.66
.150
.137
.60
.151
.149
.138
.59
.74
.70
.114
.152
.148
.139
.78
.153
.140
.58
.82
.113
.154
.161
.147
.57
.71
.67
.155
.160
.162
.141
.145
.146
.156
.159
.56
.83
.81
.79
.77
.75
.73
.112
.158
.180
.179
.142
.69
.157
.178
.144
.143
.55
.84
.111
.181
.163
.177
.182
.110
.183
.164
.176
.54
.76
.72
.68
.80
.109
.184
.165
.175
.108
.185
.166
.174
.85
.107
.186
.53
.94
.93
.167
.173
.95
.106
.52
.34
.187
.86
.92
.172
.96
.105
.33
.168
.51
.35
.32
.171
.31
.104
.36
.30
.21
.169
.9
.8
.91
.22
.50
.37
.20
.10
.87
.97
.29
.170
.7
.103
.23
.19
.38
.28
.11
.24
.18
.12
.6
.88
.90
.98
.102
.27
.49
.25
.17
.13
.5
.39
.26
.16
.15
.14
.48
.101
.40
.4
.99
.1
.89
.2
.3
.47
.100
.41
.46
.45
.44
.43
.42

.38
.39
.24
.40 .37 .25
.26
.41 .36 .27 .23
.42 .33 .32 .28
.34 .31 .29 .22
.35 .30
.43 .21
.44
.46 .20
.45
.47
.48 .19
.49 .18
.50
.51 .141 .138 .137 .120 .117
.142 .136 .119
.52 .139 .135
.140 .121 .118
.143 .147 .116
.53 .148 .134
.144 .146 .122 .117
.152 .149 .15
.54 .151 .150 .133
.145 .163 .116 .14
.153 .164 .123
.55 .162 .132 .115
.165 .124 .13
.154 .161 .131 .114
.56 .166 .125 .12
.57 .155 .160 .130 .113 .11
.126 .10
.58 .112 .9
.77 .156 .129 .127
.159 .111 .8
.59 .157 .128 .7
.78 .158 .110 .6
.79 .96 .109 .5
.60 .76 .80 .95 .97
.75 .81 .98 .108 .4
.74 .94 .99 .107
.61 .82 .102 .3
.73 .93 .101 .100 .106
.83 .103 .104 .2
.62 .92 .105
.72 .84 .91 .90 .89 .88 .1
.63 .85 .87
.71 .86
.64
.70
.65
.66 .67 .68 .69

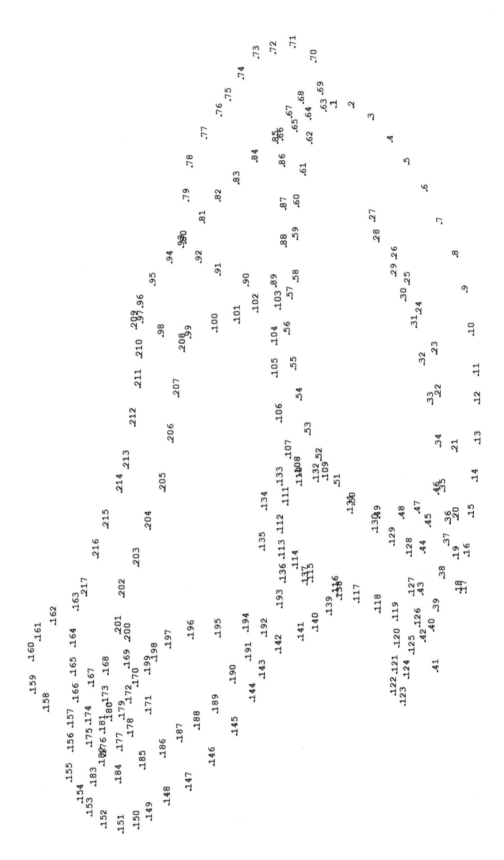

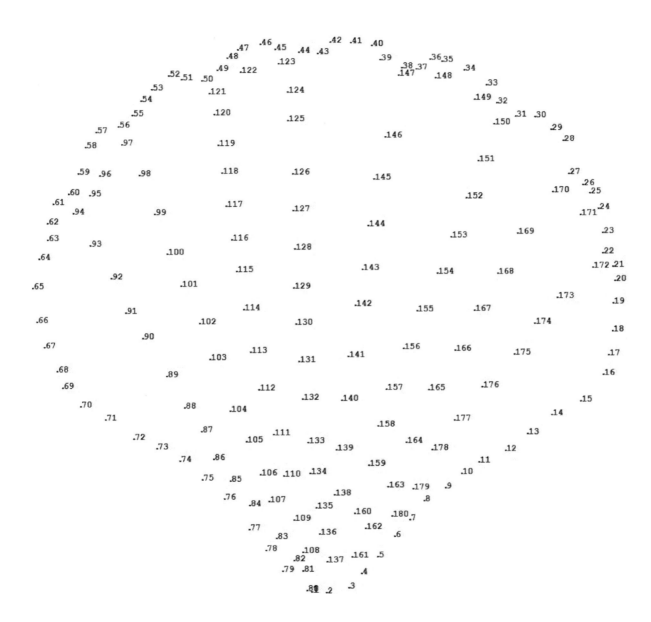

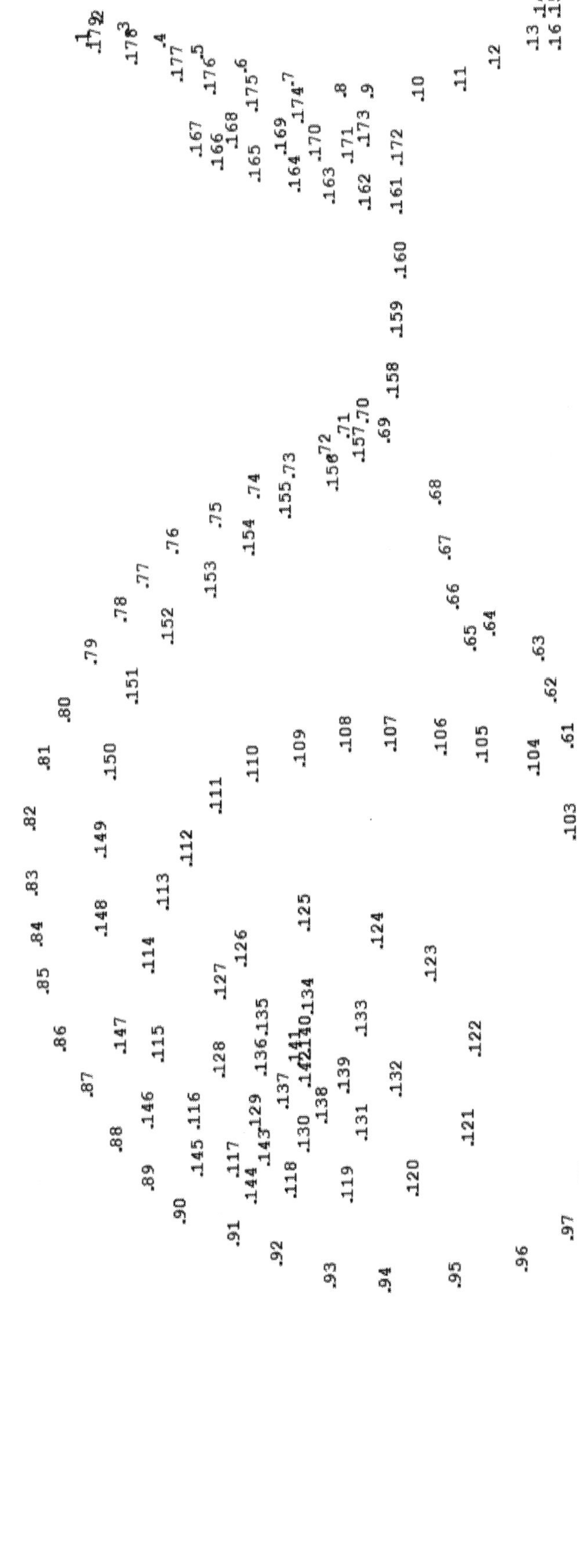

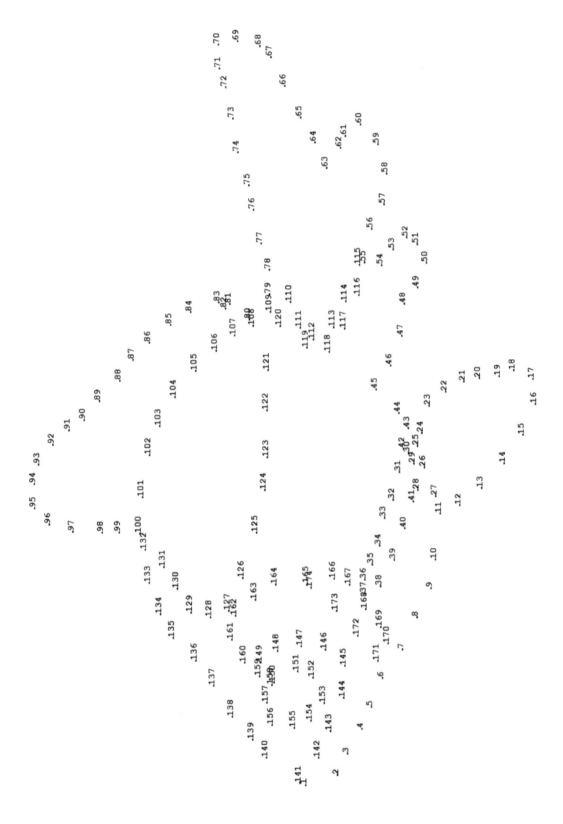

.24
.25 .36 .23
.22
.26 .35 .37
.38 .21
.39 .20
.27 .34 .19
.18
.28 .33 .40
.29 .32 .45 .17
.46 .41
.44 .42 .16
.137 .43 .15 .12 .11 .10
.136 .14 .13 .9
.30 .31 .142 .143 .144 .138 .139 .8
.48 .47 .141 .145 .140 .128 .127 .103
.49 .135 .132 .126 .102
.50 .146 .134 .133 .129 .121 .125 .104 .7
.147 .130 .120 .122 .105 .101 .6
.51 .148 .112 .131 .113 .119 .123 .100 .5
.114 .124 .106
.52 .111 .115 .118 .99 .4
.158 .110 .116 .117 .107
.53 .149 .157 .159 .109 .98 .3
.156 .108 .97
.152 .151 .150 .94 .2
.54 .90 .153 .155 .95
.91 .154 .96 .1
.55 .83 .89 .93
.84 .82 .92
.80 .81 .85 .88 .87 .71
.56 .86 .72 .70
.57 .79 .69 .68
.58 .78 .73 .67
.59 .77 .76 .74 .66
.60 .63 .75 .65
.61 .62 .64

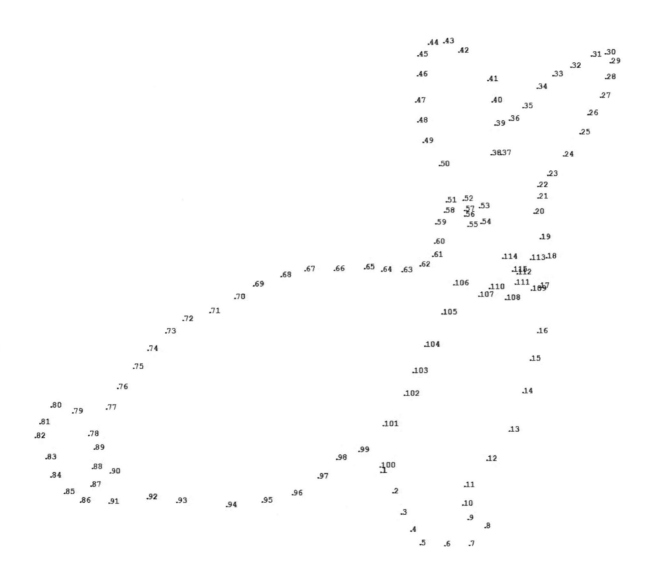

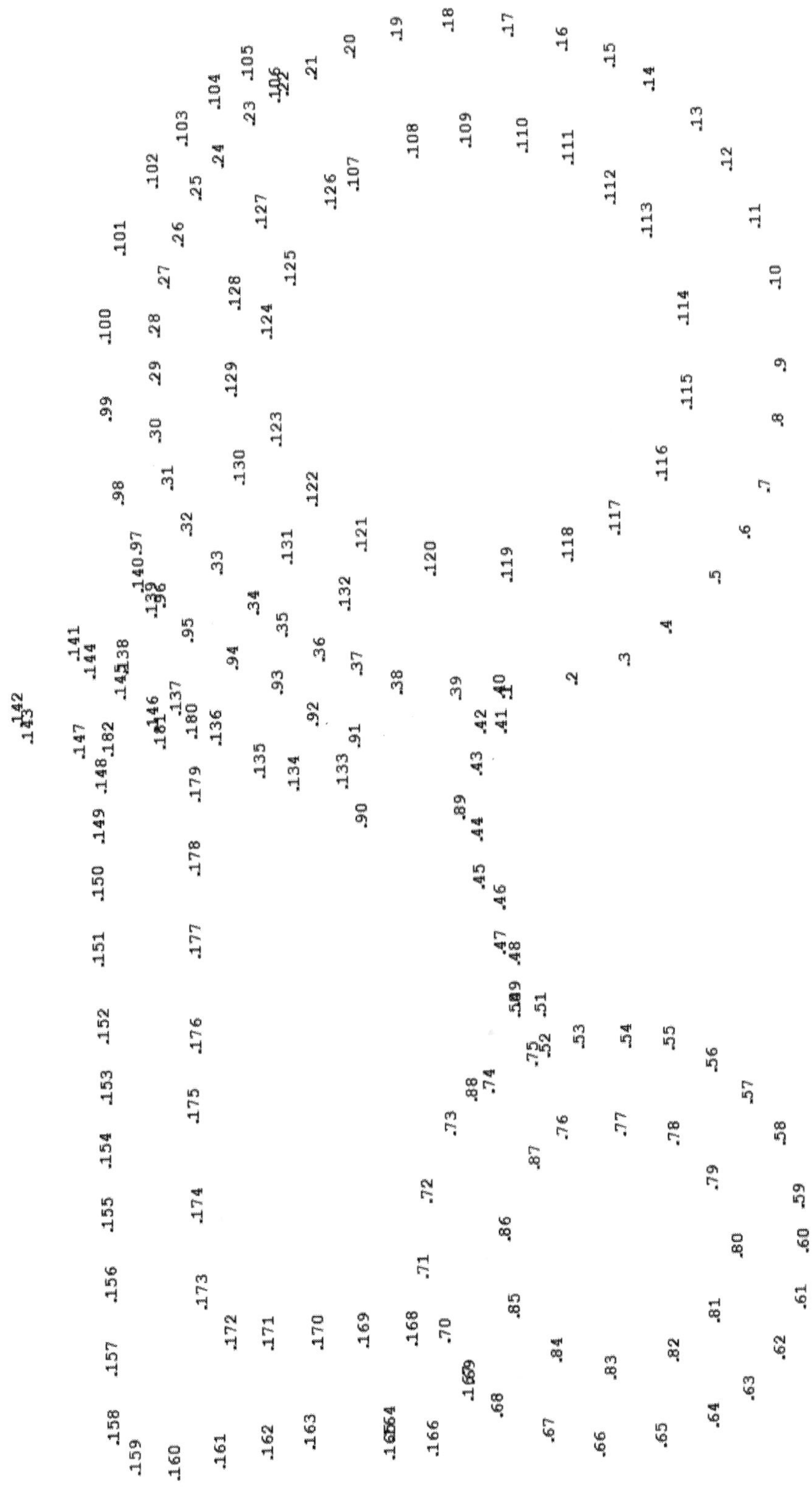

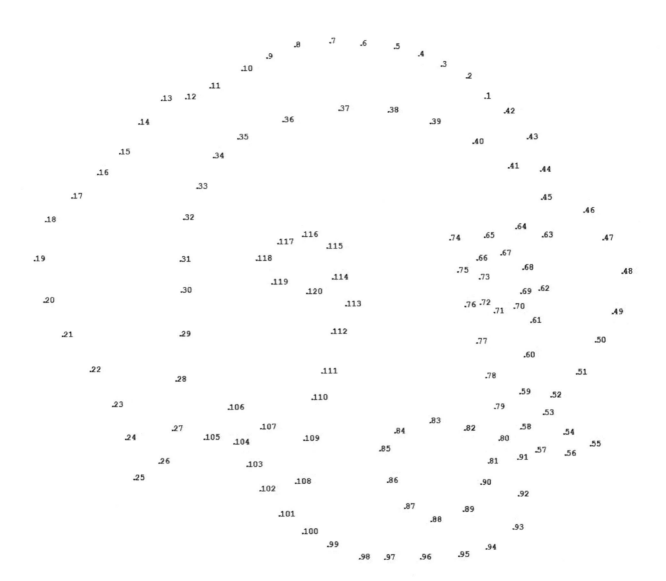

.11
.10
.12
.9
.13
.8
.14
.7
.15
.6
.16
.5
.17 .18 .19 .20 .21 .22 .23
.98
.4
.97 .99
.100
.3
.96 .101
.95 .108 .107 .102
.2
.109 .106
.94 .103
.1
.119 .110 .105
.120 .111 .112 .104
.93
.118 .113
.121 .117 .114
.92
.116 .115
.91
.90 .122
.89 .135
.88 .123
.124
.87
.125
.86
.85 .126 .127
.84 .83 .82 .81 .80 .79

.29
.28 .30
.27
.26
.31
.25
.32
.24
.33
.44
.45 .34
.46
.43 .35
.47
.42 .36
.48
.49 .37
.41
.54 .55 .67 .40 .38
.50
.53 .56 .66
.51 .52
.59 .58 .57 .65 .39
.60
.61
.62 .64 .68
.63 .69
.70
.71
.72
.132 .131
.133 .73
.134 .130
.129 .74
.75
.128 .76
.77
.78

.44
.45   .43   .42
.46   .41
.47   .40
.48   .39   .18
.49   .17
.50   .183   .189   .38.19   .16
.51   .182   .184   .188   .190   .15
.67   .181 .176   .185 .187 .157 .158 .191 .37.20   .14
.52   .175 .177   .159 .36
.53 .68 .180.174 .178 .186 .156   .192
.66   .173 .179 .166 .165 .164 .163 .162 .155 .161 .160 .193 .35.21   .13
.54   .172   .167   .154 .194   .12
.55   .65 .70 .171.168 .202.203 .204 .195.153 .34 .22   .11
.56   .169 .201 .205 .196 .152 .33
.57   .64 .71   .200 .199 .197 .151 .23   .10
.58   .63 .122 .170   .198 .32.24   .9
.75 .59 .72 .123 .128 .150 .109 .31.25 .27.8
.76 .60 .62 .121 .127 .129 .133 .108 .26 .28 .7
.77 .61 .124 .126 .144 .130 .149.132 .110 .30
.78 .73 .120 .125 .143 .131 .134 .135 .111 .107 .29 .6
.79 .74 .95 .96 .119 .142 .145 .146 .148.136 .112 .106 .5
.80 .94 .97 .118 .141 .137 .113 .4
.81 .140 .147.138 .114
.117 .139 .115 .105 .3
.82 .93 .98 .116.101 .2
.83 .99 .100 .104 .1
.84 .92 .102 .103
.85 .91
.90
.86 .87 .88 .89

.102 .101 .100 .99 .98
.103
.104 .97
.96
.106 .105 .86
.85
.107 .95
.97 .84
.124 .83
.108 .94 .82
.123
.109 .88
.125 .155 .156 .93 .81
.154 .157 .80
.122 .89
.110 .158 .92 .79
.111 .153
.126 .159
.121 .152 .160 .91 .90 .78
.112 .151 .169 .161 .69 .70
.127 .168 .162 .65
.120 .71
.113 .128 .163 .68
.140 .46 .67 .77
.142 .141 .167 .47 .76
.114 .143 .150 .164 .45 .72
.119 .149 .44 .48 .66
.144 .139 .43 .53 .49 .65 .73 .75
.115 .129 .166 .165 .42 .52
.145 .148 .54 .51 .50
.116 .118 .146 .147 .138 .41 .64 .74
.130
.137 .40 .55
.117 .39 .63
.131 .38 .56
.136 .18 .62
.132 .17 .37
.19 .57
.133 .135 .33 .34 .35 .61
.16 .32 .36 .58
.134 .20 .31 .27 .26 .60
.15 .21 .30 .29 .28 .25
.14 .22 .24 .59
.13 .23 .7
.12 .11 .10 .9 .8 .6
.1 .5
.2 .3 .4

.35 .34
.36
.33
.37
.32 .31 .30 .28 .27 .26
.38 .108
.29
.39 .109 .25
.40 .107
.24
.41
.48 .42
.43 .23
.47 .45 .44 .140 .139
.61 .46 .106 .146 .145 .138 .115 .114 .22
.60 .105 .141 .116 .113
.62 .147 .144 .137 .117 .118 .112 .111
.59 .142 .121
.63 .143 .119
.64 .104 .136 .120 .20
.65 .148 .128 .135
.157 .129 .134 .133
.66 .127 .132 .121 .19
.103 .130
.67 .156 .149 .126 .131 .122 .18
.158 .125 .123
.68 .150 .124 .17
.102
.69 .159 .155 .151 .16
.101
.84 .154 .152 .15
.70
.83 .85 .100 .153 .14
.71 .13
.161 .178 .179 .12
.72 .82 .99
.86 .162 .177
.98 .180 .11
.73 .87
.81 .97 .163 .176 .10
.74 .88 .9
.96 .181
.80 .164 .175
.75 .95 .182 .8
.89
.76 .79 .165 .174 .7
.94
.90 .93 .183
.77 .78 .92 .166 .6 .5
.91 .173
.184 .4
.167 .172 .185
.171 .1 .2 .3
.168 .170
.169

.114 .115
.113 .116
.117
.112
.118 .124 .125 .126 .127 .128 .129 .134 .135 .136 .137 .138
.139
.130 .133 .140
.111 .119 .141
.123 .132 .142
.120 .122 .131
.121 .143
.110
.144
.109 .145
.146
.108 .147
.107 .148
.23 .149
.106 .24 .22
.25 .29 .21
.56 .55 .20 .150
.97 .57 .18
.105 .54 .30 .19
.98 .58 .26 .28 .17
.96 .59 .61 .53 .31
.99 .60 .47 .46 .32
.104 .95 .62 .48 .45 .80 .16
.100 .94 .52 .44 .33 .79
.103 .63 .49 .81 .15
.101 .93 .34 .78
.51 .43 .35 .77 .82
.102 .64 .50 .36 .14
.1 .65 .41 .42 .76 .83
.40 .37
.92 .39 .38 .75 .13
.2 .66 .84
.91 .71 .72 .74
.67 .85 .12
.3 .90 .68 .69 .73
.70 .86 .11
.4 .89 .10
.88 .87
.5 .9
.6 .7 .8

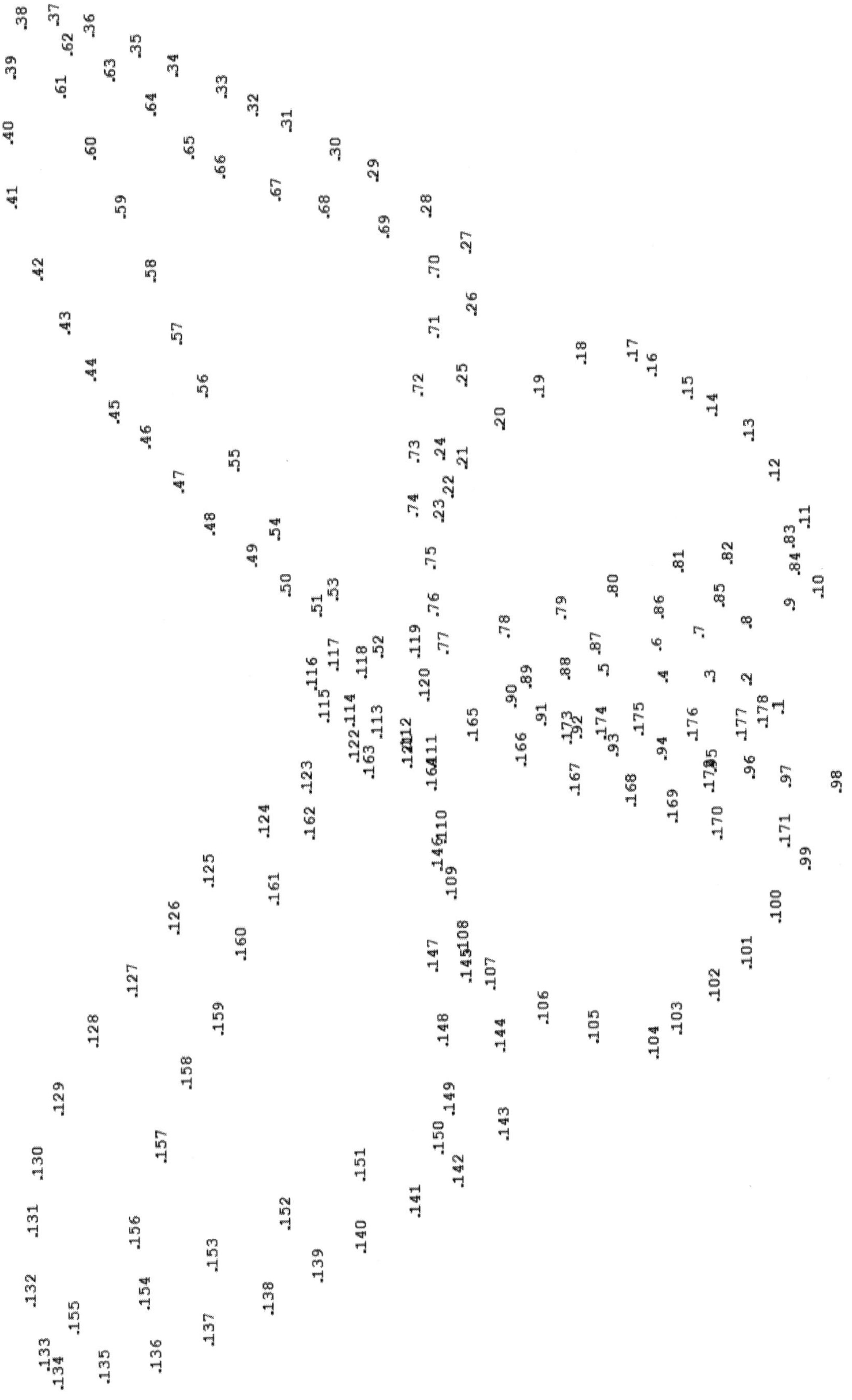

.73 .72
.74 .71
.75 .70
.69
.76 .68
.67
.77 .66
.85 .86 .88 .65
.78 .87
.84 .89 .92
.51 .79 .64 .91 .93
.50 .52 .83 .90 .94
.53 .80 .63 .116 .115 .114 .95
.49 .82 .113 .96
.54 .112
.62 .97
.48 .55 .81 .111 .98
.56 .61
.47 .110 .99
.57
.46 .58 .60 .100
.59 .109
.45 .38 .37 .36 .101
.39
.44 .35 .108 .102
.40 .34 .103
.43
.42 .33 .107 .104
.16 .41 .106 .105
.15 .17 .32
.18
.14 .13 .19
.12 .27 .28 .29 .30 .31
.11 .7 .20 .26
.8 .21
.9 .6 .25
.10 .5 .22 .23
.4 .24
.3
.2
.1

.78
.77
.79
.76
.80
.75 .74
.81 .73
.82 .99 .98 .72
.87 .86 .85 .84 .83 .100 .97 .71
.88 .89 .101 .96 .70
.90
.91 .93 .94 .95 .102 .69
.92 .105 .103 .51 .68
.106 .104 .50 .52 .53
.49 .67 .54
.107 .48 .66 .55
.108 .65 .56
.47 .57
.109 .46 .64
.110 .45 .63 .58
.127 .44 .59
.111 .126 .43 .62 .60
.125 .42 .61
.112 .124 .41 .33 .32
.113 .123 .40 .34 .31
.122 .121 .39 .35 .30
.114 .120 .38 .36 .29
.115 .117 .118 .11916 .17 .18 .19 .37 .28 .27
.11 .7 .116 .15 .20 .21 .26
.10 .6 .22 .25
.12 .9 .5 .14 .23 .24
.8 .4
.13 .3
.2
.1

.64
.63   .65   .66
.62   .67
.61   .84   .68
.60 .92 .91 .85 .83 .82 .81 .69
      .90 .86 .87   .78 .79 .80 .70
.93   .89   .88 .77   .71
.59   .76   .72
.58   .94   .75   .74 .73
.57   .95   .96   .102
.56   .97 .98 .101
.55   .100 .103
                .99
.54   .133 .132
.53 .138 .137 .136 .135 .134 .131 .130 .104
.52   .129 .128
.51   .139   .140   .127 .105
.50   .141   .142   .126 .106
.49   .143   .125 .107
.48   .144   .123 .124 .108
.47   .145   .122   .109
.46 .149 .148 .147 .146 .121 .120 .110
.45 .151 .150   .119 .111
.44   .118 .112
.43   .117 .113
.42   .29 .28 .27   .114
.32 .31 .30   .116 .115 .119
.41   .26 .25 .24 .23 .19 .18 .17
.34 .33   .22 .20
.40 .35   .9 .21 .16
.39 .36   .8 .5 .10 .15
.38 .37   .6 .4 .11
                .3
.7   .2 .12 .14
            .1 .13

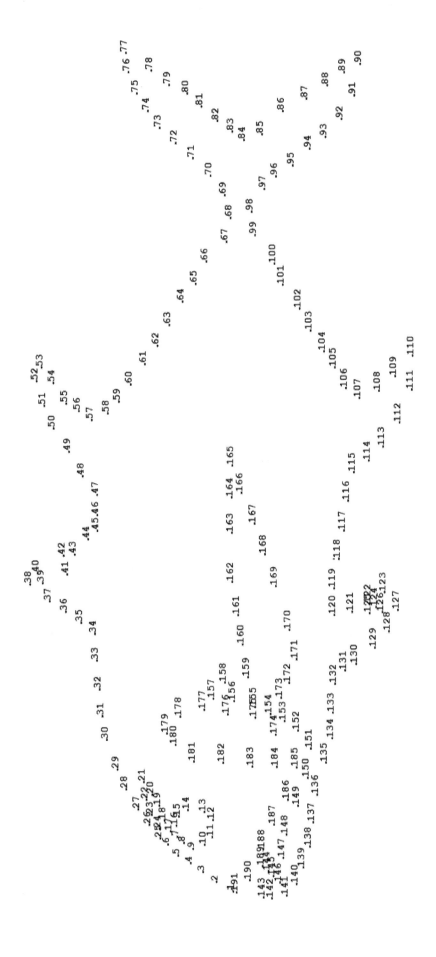

.76 .77 .78 .79 .80 .81
.75 .90 .89 .88 .82
.74 .95 .96 .91 .87 .85 .83 .84
.99 .94 .92 .86 .104
.73 .93 .102 .103
.72 .101 .100 .105
.71 .106
.70 .107
.69 .152 .108
.68 .154 .153 .151
.156 .155 .150
.67 .157 .109
.66 .158 .149
.65 .159 .148 .110
.64 .160 .147 .111
.63 .161 .146 .112
.62 .162 .163 .145 .113
.167 .144 .114
.58 .164 .166 .143 .115
.61 .118 .117 .116
.59 .168 .119 .120 .121 .122
.57 .142 .126 .125 .124 .123
.165 .60 .56 .128 .127
.137 .129 .130
.169 .136
.55 .141 .138 .135 .131
.170 .139 .134
.54 .140 .132
.53 .133
.171 .36
.52 .172 .37
.40
.51 .173 .41 .39 .38
.42
.50 .174 .43
.44
.49 .48 .175 .45
.47 .46

.1
.2
.3
.4
.5
.6
.7
.8 .10
.25 .24 .9
.26 .23 .20 .19 .11
.27 .22 .21 .18 .12
.17 .13
.16
.15 .14
.28
.29
.30
.31
.33 .32
.34
.35

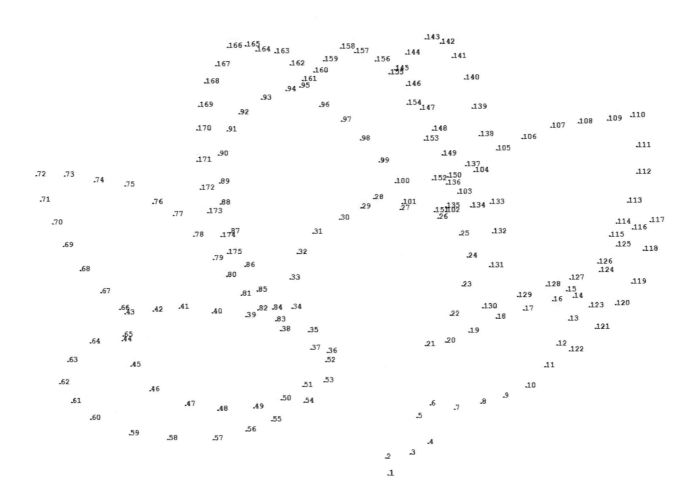

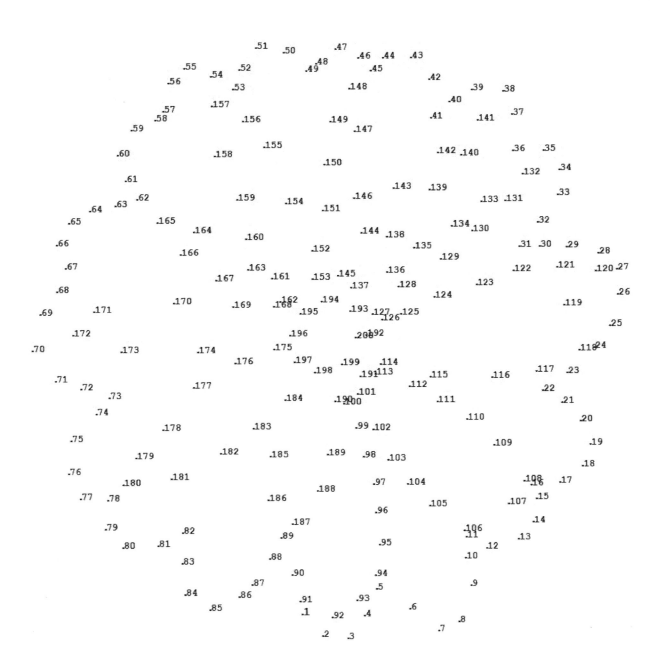

BONUS EASY GARDEN FLOWERS FOR ALL THE FAMILY TO ENJOY.

Poppy

Pansy

Sunflower

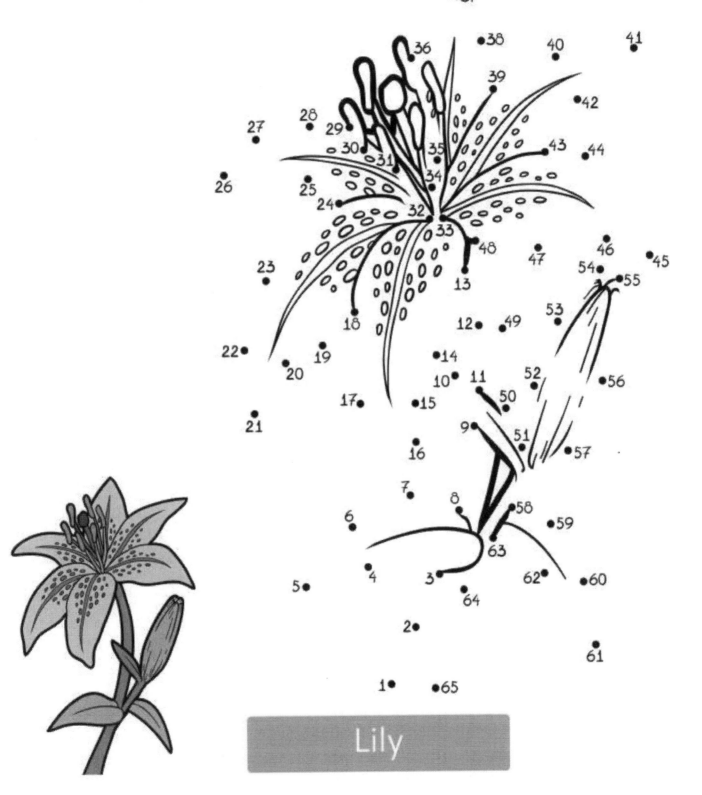

Lily

Marigold

Lotus

Peony

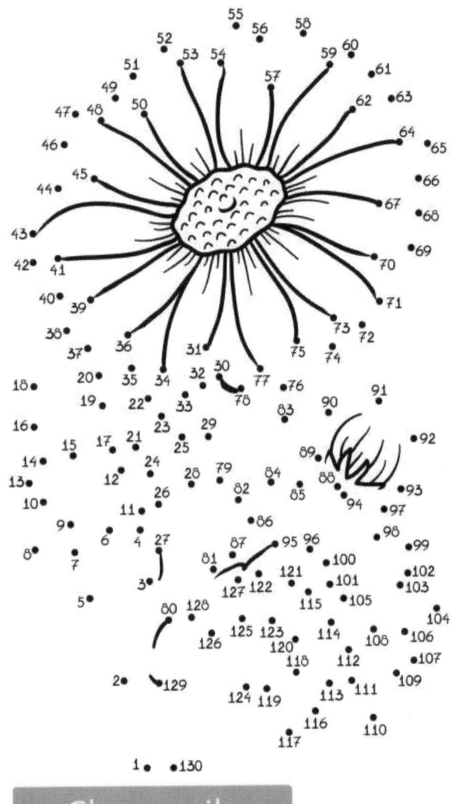

Chamomile

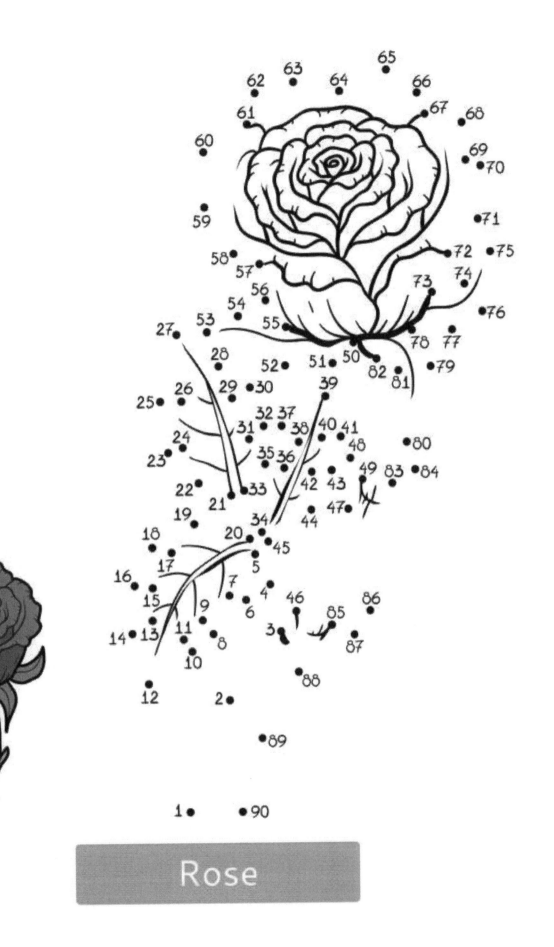

Rose

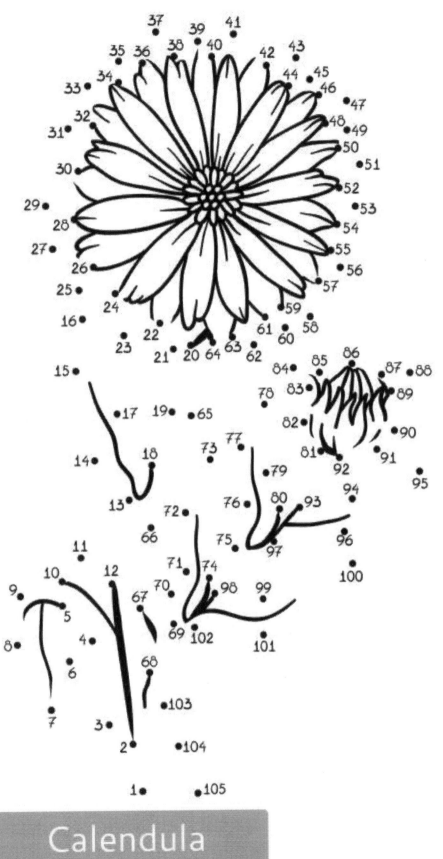

Calendula

Buttercup

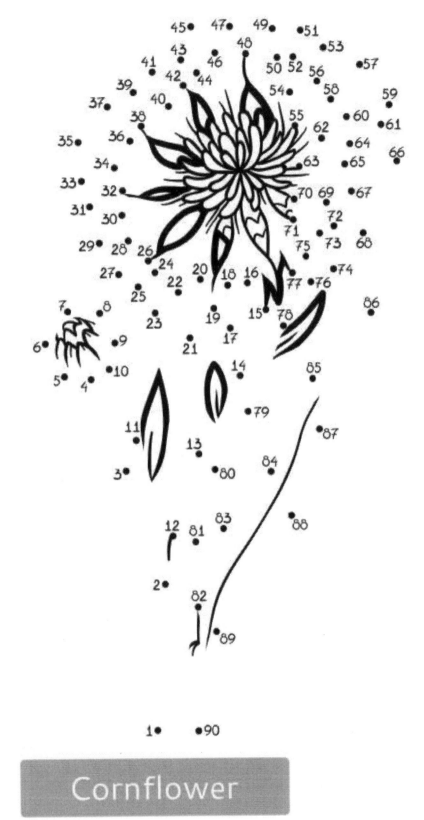

Cornflower

85175998R00049

Made in the USA
San Bernardino, CA
17 August 2018